사라지는

별은

언제

사라질까

사라지는 별은 언제 사라질까

발　행 | 2023년 12월 31일
저　자 | 이시우
펴낸이 | 한건희
펴낸곳 | 주식회사 부크크
출판사등록 | 2014.07.15.(제2014-16호)
주　소 | 서울특별시 금천구 가산디지털1로 119 SK트윈타워 A동 305호
전　화 | 1670-8316
이메일 | info@bookk.co.kr

ISBN | 979-11-410-6317-7

www.bookk.co.kr

사라지는 별은 언제 사라질까

이시우 지음

시인의 말

문득 어떤 친구가 성격이 맞지 않아 내가 싫다고 한 기억이 떠오른다. 하지만 그 친구에게 맞지 않은 모양은 성격이 아니라 서툴고 투박한 감정이었을 것이다. 서툴고 투박함이 잘못이 아니듯 우리가 지금껏 힘들고 앞으로 찾아올 좌절에 있어서 절대 자신을 탓하지 않았으면 한다. 그것은 서툴고 투박한 도전이고 시행착오이지만 묵직한 경험이 될 것이니.

사라지는 별 아래에서

이시우

차례

시인의 말

제3부 꽃씨가 어느 날 바람따라 흘러 들어온 것처럼

제5부 정신까지 얼리고 싶은 것 같다

서평 │ 김태경

제1부

보고 싶다, 다가갈수록 멀어지는

무지개처럼 너도 그렇다

회귀

하루면 올 먼길을
오지도 못할 먼길을
돌고돌아
스치니만도 못하게

다시는 못올 짧은 길에서
지울 수 없는 기억은 희미해진다

어쩌다보니 이번 생인데
나의 사랑에 회귀를 통해
구속되어주길 바라

야금야금

야금야금
너를 베어먹고
야금야금
비밀을 염탐하고
야금야금
사랑을 축내고

야금야금
미움을 쌓아보자

여름 낮잠

무지개는 뜨고 비는 내린다
내가 있어도 없어도
비는 내렸다
자연 따위에 굴복하기 싫어
뛰지도 손을 올리지도 않는다

보고 싶다
다가갈수록 멀어지는 무지개처럼
너도 그렇다

나의 짓 따위를
어리석다 할지라도
오늘의 나는 내일에게 묻는다
나조차 품어볼 용기가 있는지

영화 '봄비'

봄비가 내리네요
그대의 머릿결에
쓰다듬은 손
허공을 맴도는데
희미한 허상만
잔상이 되어가고
망각이 내뿜은 입김만
한숨이 되어가고

하얀 눈
내 눈 위
넘쳐 녹으면
환상을 꿈꿀 표를 예매하고
눈보다 차가운 손보다 따뜻한 의자에 앉아
끝나지 않을 영화를 보네
제목은 봄비였기에
그대, 봄비되어 내 몸에 흐르면
눈 녹은 봄비되리라

최선을 다해 서로 사랑했다, 영원히 지겨울 만큼

최선을 다해 서로 사랑하다가 보면
영원히 지겨워질 때가 있게되겠지
잊다가 또 잊다가 잊을 수 없으면
사랑이란 감정을 지울거야
눈빛 느낌 명랑함에
수영장에서 미끄러지듯
준비도 없이 너에게 빠졌어
이런 날 너는 피하기만해

그대여 나를 돌아봐줘요
그대만을 비춰주는 촛불이 있어요
그대의 손짓 한번에 나는 휘청 죽고
칠흑같은 어둠 속에서 그대 정신 훔쳐요

무안함

무안해질 것 같다
너라는
손을 잡지 않으면

무안해진다
나라는
우리 안에 갇혀서

무안해졌다
우리라는
족쇄에서 해방되어서

이제 무안함을 주겠다
문득...문득...문득...

아물어 간다

너의 모습이 아른거린다
아련한 눈빛
눈길 주지 않는데

단아함에 베인 상처
아물어 간다

제2부

추억는 나에게
가장 날카롭다

머무르다

한번은 머물러야 했다
피하고 돌고 돌아도
머무르게 할 너였다
거짓을 믿어야 하나
권유에 머물러야 하나

철저히 무시하고
철저히 외면하면
내 곁에 머무를까
머무른 다면
나를 바라볼까

흩날리다, 덮이다

흩날리는 눈을 녹이며
그대 곁에 가는길
온 세상, 하얗게 가로막지만
체온으로 녹여보겠어
나의 눈 위에 눈이 덮여
방향감각조차 잃을 때
온 세상, 붉게 외면하지만
체온으로 녹여주겠니

녹여준다고 확신을 받을 때
심장은 빨리 뛰다 미쳐, 멈춰
너의 오른손 약지손가락
반지 안의 이니셜에서
사라질 수 없는 자국이 되겠지

푸르다

파란 하늘을 느끼며
하늘아래 서있을 자격이 있는지
고민하다가 너를 본다
알고 있다, 맞춰주지 않을 눈빛
거부는 아니지만 외면하고픈
사랑, 그 짧은 꼬리가 잡혀
고개를 돌려보네...
맞추었는데 눈빛보다는 심장이겠지
느끼겠지, 고동치는 심장을
이해하지 않겠지, 서글픈 눈물을

비에게 쓰는 반성문

손목 위에 흐르는 빗물
함께 새겼던 타투를 지우고
뺨 위에 흐르는 빗물
널 보았던 시야를 흐릴까
아무 감정없던 진실에 스며든 빗물은
코 끝을 찌르는 향기가 되어
비의 도착을 알려줄까

마중나갈 수 없는 나는
오늘도 사과한다, 비에게

추억은 나에게 가장 날카롭다

너의 말들이 진다
꽃가루 흩날리는 길따라
가는 길에 추억 한편 담아가줄까
나에겐 너무나도 아픈 기억따라

언제나...
추억은 나에게 가장 날카롭다

윤슬

너와 함께 보고 싶었어
일렁이는 반짝임에
사랑을 서약하고 싶었어
나의 윤슬은
너의 왼손 약지 손가락의
반지보다 반짝였고
나의 눈도 멀게 했지

바다 위 함박눈

눈물 흩날리네
금방 얼어붙을 곳에서
눈물은 얼어붙어
우박이 되길 바라지만
눈이 되어 흩날린다
눈 내린다며 바다 보고 싶다며
재촉하던 네가 그립다
내 눈물 모아 내린 눈인지 모르는 듯이
마냥 미소를 띄던 네가 그립다
그리움보다 증오심이 밀려오면
바다에 빠져있겠지, 나는
아무나 날 건져주길 바라도 될까

나만 연애

정말 진지했던 고백이야
잡을 손을 내어준 네게는 아니지만
어디까지나 나에게는...
벚꽃지듯 의문은 바람길 따라가고
잡고 있던 손에는
땀을 식히는 서늘함이 맴돌았지
이제 건조한 손의 쓸쓸함은
정말 진지했던 이별이야
어디까지나 나에게는...

모해

모해, 오늘의 스케줄 말해줘
아 그리고
뭐 싫은거면 말해줘
모해, 쳐박힐 때면 사랑한대
아 갑자기
이유가 있을 때면 떠나간대

너의 매우 화난 눈썹에
'딱히'라는 감정으로 널 지워보고
너의 등장에
따뜻한 노력은 차가운 취급을 받고
터질듯한 심장으로 말투를 깎아내지

물어볼게, 끝났지

곧 헤어질 듯
나만 좋아하나 봄

살포시, 지그시

오늘도 그대의 뒷모습만 바라본다
항상, 지속적으로 바라보고 있지만
언제까지 효력이 있는 행동인지 알 수 없다
무한에서 유한을 추구하고 싶은 나처럼
바라봄은 무모하다 그럼에도
오늘도, 내일도, 앞으로도 머무르겠다
그리고 눈동자는 살포시 감아본다

탁한 바다, 봄 호수

눈 맞추고파
탁한 바다 앞에서
허리를 감싸는 손짓에 반항하지 않기로해
멈춰주고파
쨍한 바다 앞에서
신발끈을 잡아 내가 갖기로해
오늘의 겨울 바람에 가을 단풍을 기약하며
너의 소망바람에 여름 벚꽃을 기약하며
소음의 절정인 전동자전거의 앞 브레이크로
멈추고파
벚꽃도 아닌 초록 이파리 따위는 무시하는 봄 호수에
빠트리고파

회상

풀 냄새에서
너의 손목 냄새를 맡고
옆자리 친구의 웃음에서
너의 미소를 보고
제발 마주치지 않기를
제발 떠올리지 않기를 바라면서
길을 걸을 때마다 너를 찾는다

널 잊어야 좋은걸까
널 기억해야 좋은걸까
오늘 꿈 속에서 웃어줬던 넌
내 미련의 잔상인걸까
아니면
내 미련의 해답인걸까

구제불능

너와 함께 보고 싶어
남겨두었어
너와 함께 눕고 싶어
남겨두었어

꿈에서 내 탓하던 너라면
돌아오지 않을까 싶어
남겨두었어
어젯밤 네 탓하던 나라면
마주하지 못할까 싶어 채워버렸어

이제 보내야 하는걸 보면
너무 많이 채웠나봐

가스라이팅

오늘의 감기는 너 때문일 거야
지금의 기침은 널 위한 거야
앞으로의 오한은 널 보고 싶기 때문이고
앞으로의 두통은 널 잊고 싶기 때문이야
한 때 너를 사랑했기 때문일 거야

미안해 사랑해, 어디까지나 적당히

내가 하면 미련이고
너가 하면 후회일거야
그리고 우리가 하면 사랑에는 못 미치겠지
미안해 사랑해, 어디까지나 적당히

깜빡인다, 반짝인다

가로등이 깜빡인다
깜빡이는 가로등따라
기억도 깜빡인다
한번 두번
깜빡깜빡
어

깜빡이는 가로등 보며
반짝이는 입술을 보며
애수에 찬 입맞춤, 지새웠는데
어

반짝임은 확인할 수 없고
얼어버린 입술만은 잊혀지겠지
차라리 너에게 슬픔보다 의문으로 남고 싶다

모래성

너와 함께 하고팠던 로망 중에
두손을 꼭 잡고 모래에 발을 담구고
너가 만든 모래성에 살고픈
그런 로망 말이야
너의 뺨에 흐르는 비가
내 눈물 모아 내리는지 모르면서
비오는 바닷가를 좋아했던 넌
이제 파도 앞의 모래처럼 내 곁을 떠나지만

나 몰래 모래성 하나 쌓아줘
너 몰래 모래성에 살아볼테니까

당신의 봄에서 지나고 있다

분명 머리를 풀고 있지만
머리를 묶었을 때의 향기를 맡을 수 있었고
넌 하염없는 겨울일 것이기에
난 언제나 봄을 기다렸다
손을 잡고 싶다 말하고픈 난
네잎클로버를 꺾었고
품에 안겨 온기를 맡고픈 난
풀 냄새를 맡았다

눈 녹을 때 같이 녹았는지
당신은 보일 수 없고
지금 난
당신의 봄에서 지나고 있다

정이란 무엇인가

빠지고 싶지 않을 때
더 빠져버리고
더 좋아하고 싶을 때
좋아하지 못하는
그런 사랑 해보셨습니까

미련이라 말하면 정말 미련일까봐
보고 싶다 말하면 꿈에 찾아올까봐
거짓말들로 채워나간 사랑 해보셨습니까

습해서 목을 조이는 여름 밤에
더 갖고 싶은 사랑은 어떤 사랑일까
사랑은 본능이지만
정이란 기질인 것 같습니다

작별인사, 잘가

사랑합니다
왜요
그대를 한번도 잊은 적이 없으니까
그대의 모진 말을 잊은 적이 없으니까
이제 와서 사랑을 잊기에는
너무 늦었습니다
조금만 빨리 올걸

해변 길을 지나도 그대 생각하지 않습니다
차라리 잠겨 죽어 파도따라 돌아오고 싶습니다
그대 없는 나는
파도 앞에 모래성입니다

다시 사랑한다면

잊다
잊지 못하다
잊고 싶다
잊지 못하겠다

보고 싶다
눈 앞에 없다
사랑했다
울어버렸다
질투한다

복잡할 필요없다
무식한 감정이다
우린 이것을
미련이라 정의한다

ISTP

우리가 사랑했던 것은
추억일까 충동일까
한번의 반짝임이라
품어보려 했지만
어렵더라
힘들더라
너에게는 찰나의 순간이라
그럭저럭이란 말로 넘겨보겠지만
찰나도 잔상이 될 수 있다고 맹신한
나의 반짝임은 잔상으로 남을까

난 너의 잔상이야
하루도 빠짐없이 아른거리는

감정의 이름

길거리를 방황하다가 마주치지 않게 해주세요. 제발
찰나의 환청이라도 목소리가 들리지 않게 해주세요. 제
발
닮은 사람이라도 착각하지 않게 해주세요. 제발
치사하더라도 꿈에 나타나지 않게 해주세요. 제발
그대는 잊어도 나는 잊지 않게 해주세요. 제발
하염없는 눈물이 흘러도 그 눈동자에는 흐르지 않게 해
주세요. 제발
추억은 잊는다 해도 습관은 잊지 않게 해주세요. 제발

매일 밤 생각하고 좋아해도
꿈에 찾아오지 않게 해주세요
제발
그렇게 쉽게 식고 지는 감정인지 몰랐다
너라는 감정을 알기 전까지

적녹색약

우리 그때로 돌아갈 수 있다면
집에 들어가기 전에 경미한 미소를 바라던
나의 마음을 알아주긴 할까
가로등 밑에서 기다리면
네 손의 잔상이라도 스칠 수 있을까 울먹이던
나의 마음을 알아주긴 할까
그렇게 큰 덫은 아닌듯한데
나의 발목 정도는 걸려들 수 있고
어디있지는지도 아는 덫에
한번쯤은 걸려봐도 좋겠다라는 생각으로
오지도 못할 아침을 기다려
사랑해란 말은 진부하고
잊으라는 말은 정이 없고
다시 만나자는 말은 찌질해서
침묵을 선택했어
너는 침묵이 조용하고, 너무 조용해서
나쁘지는 않았겠지만
나는 침묵이 고독하고, 너무 고독해서

좋지는 않았어

누군가는 날짜를 세고 있겠지
누군가는 사진을 찍고 있겠지
누군가는 너를 보고 있겠지만
나는 눈을 가리고 보기 위해
열심히 노력하고 있어
언젠가는 꼭 갈게
너무 늦지도 않게
너무 놀라지도 않게
죽지만 않으면 사랑할게
네 핏자국까지도

첫사랑

내가 만일 사진작가라면
안겨보고픈 눈빛을 담고
내가 만일 시인이라면
육성이 되지 못한 사랑을 담고
내가 만일 친구라면
한번은 돌아볼 변수를 담고 사라겠지...

내가 만일 첫사랑이라면
[명사] 처음으로 느끼거나 맺은 사랑,
[형용사] 처음으로 느끼거나 맺은 사랑이고프다.

양떼목장

그대 사랑
나를 떠나지는 않아요
하염없는 눈물
그 눈동자만은 아니길

그대 만남
나를 떠올리지는 말아요
설레는 두 손의 온기
내 손만은 아니길

그대 헤어짐
나를 가여워는 말아요
망설이는 그 한마디
나와 같은 육성만은 아니길

우리 추억
양치기 소년 따라 갔어요
딱 한 마리

양떼목장 이탈하길

무채색 나비

네가 줄 수 있는 여지란
하얀 백지 위에
얼룩정도 남길 여백

내가 줄 수 있는 여지란
가만 입술 위에
은은한 미소를 띨 공백

어깨 위에 방랑한 나비
여지를 아는 듯이
하염없이 눈을 맞추고
어깨 위에 정착한 나비
공백을 아는 듯이

너를 보고 싶어
달려왔어...

하얀 가디건

숨이 차고 정신이 없었던
그럼에도
알아보는 것은 방해 되지 않았던
그런 아침이었다

새로움을 좋아하지 않지만
하얀 가디건은 드물게 네 옆을 맴도는 순결한 화사함이
었다
색약인 나에게 하얀색인지 아이보리색인지 구분하는 게
쉽지는 않지만
화사함은 변함이 없었다
오늘따라 유난히 진했던 눈화장은
하얀 가디건 속에 숨어있는 차가움과 같았다

미안해...
넌 이 사과가 필요하지 않을 것 같아
사랑하기에 사과받고 싶대
어서 나에게 사과해줘

그때 미안했다고

나를 많이 걱정했고 사랑했다고

불면증

넌 태양을 바라보는 지구고
난 지구 곁은 맴도는 달이야
너의 어둠에만 존재하는 이별 한 줄이야
하염없이 바보같은 나에게
미련없이 토끼도 지쳤나봐
날 포기하지마

밤새도록 보고 싶으면 불면증이래
수면제라도 먹어야 하나
너라면 재울 수 있지 않을까

편안한 내일의 수면이
허전해질 때도 있대요

하염없을 겨울

미련이라 말 못해 미안해
어떻게 잊겠어
너라는 내성이 생겼는데

사랑을 되돌리는 것도 타이밍
사랑을 놓아주는 것도 타이밍
사랑에 아파지는 것도 타이밍이다
도대체 어떤 타이밍에 맞춰야 하는가
이토록 한심한 내가 좋아질 때도 있겠지

사랑해, 잘가, 하염없는 겨울아

아직 사랑을 모르는 너는
하염없는 겨울일 것이기에
아직 이별을 모르는 나는
눈 녹은 봄날을 기다렸다

이별인사, 이별이 배달됐다

언제나 답장은 무응답인 너에게서
이별이 배달됐다

생각해봤는데 너한테 마음은 없는거같아
그냥 지금처럼 친구로 지내자

> *그래 너무 갑작스럽게 말해서 미안해. 빨*
> *리 감정 정리할테니 어색해지지 말고 잘*
> *지내자 주말 잘 보내*

친구로 지내지 않을 거면서
미안해 하지도 않을 거면서

생각해봤는데 너에게 쏟 사랑은
아주아주 뜨거웠던 정이었나봐
3도 화상이 아물 때까지
남은 정 모두 버려버리자
너무 아프겠다

아프니까 사랑이다

딱 11월까지만 아프자

미완성

너는 웃었다
전혀 예상하지 못했던 해맑음에
두 번정도 연습했던 10분가량의 시나리오는
즉흥적인 애드립으로 대처되었다
너는 말했다
전혀 예상할 수 있었던 한 마디에
너무나 잘 어울린다 생각했던 나의 성격은
너와 맞지 않은 모양이 되었다

너에게 맞지 않은 모양은
성격이 아니라, 사랑일테니
언제나 첫사랑은 서툴다
마치 너가 착각하는 성격처럼

제3부

꽃씨가 어느 날
바람따라 흘러 들어온 것처럼

꽃씨따라 바람따라

바람따라 스쳐가고
바람따라 흘러가고
바람따라 굳이 잡기 싫으면
바람따라 놓아주고
겁도 없이 흘러 어디선가 꽃 피우는 꽃씨처럼
노여움 없이 흘러 어디선가 꽃 피우자

그대가 보고 싶어 도망가면
꽃씨따라 바람따라 따라오고
그대를 닮고 싶어 도망가면
꽃씨따라 바람따라 만나겠지

너도 나도 단지 스쳤을 뿐이야
너도 나도 굳이 흘렀을 뿐이야
꽃씨가 어느 날 바람따라 흘러 들어온 것처럼

그냥, 9월

그냥 떠나가자
가을, 단풍이 물들면
그냥 떠나가자
겨울, 함박눈 내리면
그냥 떠나가자
봄, 네 동맥 맡으면

그냥 떠나가지겠지
여름, 차가움 코 끝에 닿으면

조금 쌀쌀하면
긴 바지 골라 입고
조금 답답하면
짧은 바지 골라 입고
어디까지나 주관적인 기준으로 골라보자
어디까지나 객관적인 기준으로 무릎 베고 잠에 들자

가을, 가출

나란히 걸음맞춰 낙엽을 밟고
나란히 도란도란 담소를 나누고
나란히 손뼉치며 반지를 맞추고
나란히 껴안고 온기를 느끼고
나란히 입맞춰 진심을 확인하고
나란히 누워서 가을밤 지새우자
나란히 책읽으며 고독을 느껴볼래

함께 놀아줄 그대가 없기에
잠시만 떠납니다
찾지는 말아줘요, 마주치길 원해요
행복은 말아줘요, 고독하길 원해요
우리 또 만나요,

가을인지라

출신도 모르는 평온한 바람을 느끼며
이유도 모르는 살랑이는 나무를 바라보며
정도도 모르는 낙하하는 햇살을 헤아리며
의식없이 멍 때린다, 가을인지라

인과를 알 수 없는 행동을 느끼며
종착을 알 수 없는 시선 끝을 바라보며
계기를 알 수 없는 존재를 헤아리며
초점없이 멍 때린다, 가을인지라
단지, 가을이라서

가을비는 추적추적

단풍이 차려준 밥상 위에
숟가락 올리듯 비 내린다
뭐가 그리 바쁜지
뭐가 그리 빠른지
허공에 머무른 비
하늘 향해 쓰러진다
그래, 힘들었겠지...

뭐가 그리 보고파
뭐가 그리 하고파
하염없이 내리는지
단풍에 스며들고픈 소망
그래, 이해하겠지...

뭐가 그리 많은지
뭐가 그리 싫은지
수북하게 쌓인 단풍
그래, 스며들긴 힘들겠지...

가을 올림

가을 바람 겨울로 사라져
사랑 걱정까지 인내 못하고
그 눈물 흘러서 한 잔에 담으면
조금씩 데워서 가져오길 바랄게
가을 단풍 흰눈에 가려져
사랑 미움까지 이해 못하고
그녀 띈 화사함 색채를 잃으면
어서 와 보듬어 피울게

그대여 몰락해요
한 번쯤은 처량해 보일까
사랑에 긁혔던 순간인데
추억은 사치겠지
그대여 추락해요
한 번쯤은 위태로워 보일까
사랑에 헛디딘 순간인데
재회는 사치겠지

사치, 저리고 삐죽내민 감정

오늘도 바라고

단잠, 비겁한 도피처

오늘도 청하고

기다리다 잠든 전등

보고 싶지만
볼 수 없는 전등

볼 수 있지만
보고 싶지 않은
전등

별빛마저 잠든
칠흑같은 어둠에서
바라본다

기다리다 잠든 전등

달빛

선명한 밤공기 너무 시려
그대 위해 남기려 해도
이미 끓어버린 마음있어
남기지 못합니다

처량한 달빛 너무 야위어
그대 위해 남기려 해도
이미 시든 꽃이 있어
남기지 못합니다

그대 떠난 육신이야
열차 타고 떠나지만
그대 잊은 기억은
달빛에 비쳐 맴돕니다

슈퍼블루문

달아 달아
오늘따라 유난히 빛나는 달아
말해줘, 이 난제의 정답이 무엇인지
달아 달아
오늘따라 처량한 달아
하루하루 버티며 세상에 남아볼게
사랑해... 습관적으로 말이야
잘자.

내일은 또 내일의 달이 뜰거야
오늘보다는 더 처량하고
오늘보다는 더 달콤한 샤베트같은
내일의 달이 뜰거야

별밤

곧 별이 사라질 이밤
나를 비춰줄 사람 예약받죠
외로움에 한잔 못 달래게
나를 바라볼 사람
어제는 올지도 모를 사람을
기다리다 밤을 지새웠죠
이제는 무의미한 기다림 안녕
너만 바라볼 거야

곧 별이 사라질 이밤
떠오르는 백야를 느낄 사람
아침마다 눈 맞춰 걸음 맞춰
나를 기억할 사람
그대여 정신만을 기억해줘요
그럼 육신은 전부 드릴 수 있는데
사랑보다는 습관을 믿어보며
나를 바라볼 사람
너만 바라볼 사람

연민에 겨운 양반 계집

조금 천천히 울자
내가 아는 연민 모두 흘러가버려
조금 천천히 잡자
내가 아는 호의 모두 날아가버려
조금 천천히 자자
내가 아는 사랑 모두 사라져버려

연민 따위도 사랑으로 품을 수 있다
믿었던 나였기에
귀 한 번 기울였다, 허나
아는 목소리 절대 들릴 수 없다
한 발 물러서기에는 조금 늦었고
너무 즐기기에는 조금 어렵고

우리 헤어져야만해
말해봐, 조금은 솔직하게

헤어져야만해

이제 헤어지자
돌아서는 뒷모습 서로 보지 못하게
앞만 보고 걸어가자
이제 헤어지자
눈물 흘리는 뺨을 닦아주게
누군가 품에 안겨있자
이제 헤어지자
어떤 핑계를 대도 이별이지만
한발짝 물러선다고 생각하자

우리 헤어져야해
너무 늦지 않게
우리 이어져야해
너무 아프지 않게

우리 지금 아프자

우리 지금 아프자
나중에 아프면 상처가 될거야
우리 빨리 아프자
나중에 아프면 혼자가 될거야

우리 아프자
대놓고 미련이라 표출해도
그 미련까지 존중하고
그 미련까지 아끼고
그 미련까지 품을게
그 미련 함께 흘러 버리자

우리 지금 아프자
울어,
참으면 더 아파
춥다,
집에 들어가자

친애하는 고양이에게

야옹야옹 너의 울음이
문득 서러움에 흐느끼는 듯하다
절대적이지 않은 부뚜막에 먼저 올라가는 얌전한 고양
이처럼
우리의 인연은 필연이 아니겠지

불안에 떨며 나를 떠올릴 너가
문득 머릿속에서 재현되는 듯하다
서러움에 전염되어도 너를 위한다는 핑계처럼
떨쳐내고 눈 녹은 봄을 기다리겠지

너는 나의 믿음과 다르게 너무 여린 듯하다
미안해, 제발 무너지면 안 돼.

수족냉증

내 손이 차가우면 너가 따뜻하게 해주면 되지.
너도 장갑 끼지마,
너 손이 차가우면 내가 따뜻하게 해줄게.

어쩜 이렇게 애틋하게 대화할 수 있는지
물었다
혹여나 우리가 수족냉증이면 어떡할지
답했다

손과 발이 모두 차가움에 전염되는 듯 했지만
눈만큼은 웃고 있었다

이제 내 손은 항상 차갑겠지만
이제 너는 장갑을 끼겠지만
너 손이 차가우면 내가 따뜻하게 해줄게

선약

지금 이 상황 좀 설명해봐

너가 날 불러서 데려왔잖아

아니, 토요일부터 지금까지 상황 설명해봐

너가 이야기를 듣고 얻고 싶은 게 뭔데

할 말이 그게 다야?

너가 내 팔뚝 살 만지는 것도 싫고 화장 지우는 것도 싫고 호구 같다고 하는 것도 싫어 한두 번도 아니잖아, 또 말해줘? 그 전까지 너랑 관계가 예외라고 생각했는데 미련이 끝나니까 너 말고 다른 걔네들도 보이더라

잘 들어, 다른 이유는 다 핑계야, 이성적인 감정으로 나랑 친해졌고 미련이 끝나니까 내가 그냥 싫어진가야, 돈독한 우정, 그런 거 넌 없어. 미안해, 나만 우리 관계에 돈독하고 끈끈한 우정이 있다는 전제를 가진 잘못이지

미안해, 미안해, 미안해, 미안해, 미안해

아니 미안하지마,

…

마지막으로 물을게, 정말 부재중 안 찍혔어?

응…

사랑은 이별을 알아요
변치 않을 그 모습
해바라기가 달빛에 갈피를 잃듯이
내 마음 그대를 지켜요
변명 따위를 찾으며

모태신앙

혹시 근처에 이런 물결이 있나요
새까만 물결 불어온대도
그대를 위해 흘려보내리
어릴적 꿈, 못 본 척 흘려보내 이룰 수 있다면
다 젖어 속살이 비친다 할지라도
얼마든지 젖어드리리

그냥 이 말만 기억하는 거야
너 하나쯤 흘려가도
나 하나쯤 흘러가도

눈물에 눈이 고이듯

사랑 그 자리
나의 잠자리 되었다
믿음 그 자리
너를 위해 비웠다
그대가 이제 내편이 아니라는 것을 느꼈을 때
싫어함에 이유를 찾는 것은 어리석었다

누군가 그랬다
하나님은 실수를 하지 않는다고
눈에 눈물이 고이더라도 실수가 아니겠지
이 또한 운명이리라
흐르지 못하고 3년을 고여도 실수가 아니겠지
이 또한 사무치리라

함락

어쩌면 이번 함락은
운명론적 사고로 접근해야 한다
모든 것을 걸어본다
누가 도박은 그렇게 하면 안된다 했던가
내가 도박은 그렇게 하고파 했던가
책임은 따르겠지
오늘의 내가 지옥에서 살테니
내일의 넌 행복하기를 빌었다

가자

너의 같이 가자는 말이
나에게 한정된 말인 줄 알아서
얼굴이 붉어지고 심장 박동이 빨라졌던
내가
오늘은 단념을 하며 시들어가고 있어

가자
나만은 너에게 한정될 거야
자자
오지도 못할... 아니
오지도 않을 거면
꿈에 오지 말던가

상사병

너와 함께 했던 시간이 짧아서 인지
그 이후로 사람 눈을 마주보는 게 어렵더라
누군가의 옆모습이나 뒤통수를 보는 게 익숙해지고
허공을 응시하며 대화하는 게 편해진 건
누구의 탓일까?
오늘따라 유난히 진했던 너의 눈화장은
하얀 가디건 속에 숨어있는 너의 차가움과 같았지
그래서 인지 너의 눈을 마주치기가 더욱 어렵더라
미련과 후회의 어중간한 감정을
너무 뒤늦게 미련이라 인식했고,
그 미련 좀 잡아보려
너와 대화를 많이 하지 않으려 노력했어
정이 떨어지며 미련이 잡힐 줄 알았던
나의 오만함은
술과 담배 중독으로 죽어가는 중독자처럼
sns로 '뭐해'라는 말을 걸었어

학

학을 접는 게 너무 로멘틱하다는 너의 말에 바보같이 문구점에 들러 학종이를 두 박스나 샀어 대상이 누군지도 모르면서 나와 함께 상상해주는 너는 참 따뜻하고 어지러웠지 그 아이에게 하지 못하는 말들을 하나씩 적어 선물하라는 장난스러운 말은 정말 진지했어, 나에게는 우리가 이렇게 지낼 수 있는 사이가 아닌데, 정말 신기했는데, 역시는 역시인가봐 우리는 그저 철이 없던 꼬마였을 뿐이야 그렇게 학을 접어서 1000일 동안 너를 볼 수 있다면, 난 다시 또 다시 너에게로 돌아갈게

차단

너가 한 차단은
존재만으로 짜증나는 누군가를
잊어버리기 위해서(일까)

내가 한 차단은
나에게 닿을 길이 모두 끊김을 알아줬으면 하는 누군가
를
잃어버리기 위해서(일까)

어쩌면 우리가 한 차단은
추억으로 간직하려 했던 가식 덩어리의
실체가 아닐까

120 시간

우리가 사랑으로 아파질 수 있다면
얼마든지 사랑을 줄 수 있어
그러나 우리의 사랑이
귀뚜라미 소리에 흔들리는 촛불이라면
포기를 배우는 게
얼마나 힘든지 알게 될거야

우리가 사랑으로 미어질 수 있다면
얼마든지 사랑을 줄 수 있어
그러나 우리의 사랑이
서로를 가르는 단절의 손짓이라면
가끔 울컥하는 게
얼마나 지치는지 알게 될거야

우리가 만약 사랑이었다면
너의 모든 행동은
만약이라는 면죄부로
용서할 거야

12시 33minute

아마 연락이 깔끔히 끊어져 항복한 잠을 청한지
3분 뒷일일 것이다
아마 연락의 잔상에서 헤어 나오지 못하는
3분 동안의 일일 것이다
누군가에게 소통의 간절함을 쏘아 버린
3분의 연습장일 것이다
너가 편히 잠들 때까지 기다리고픈 마음에
7분을 기다리는 남자아이의 외로움일 것이다
너가 연락하지 않아도 내가 연락하지 않으려는
산들 바람이 말을 걸 것이다

캔들

자정을 넘어 떨어지는 빗방울은
이성을 넘어 돌아가는 마음이고
떨어지는 빗방울 앞의 캔들은
떨어지는 정색 앞의 마음이고

추위를 기어코 이겨내는 촛불은
지탱하기 버거워 보이는 심지를 걱정하고
네 동맥에 흐르는 향이
미드나잇 자스민임을 깨달았을 때
이미 동맥은 멈춰있었다

멈춘 동맥이 정상 인냥 하염없이 웃어보아도
나로 인해 다시 흐르는 비정상이 될 것이다

어김없이 흔들리는 촛불은
추위에 떠는 위태로운 구애인지
빗방울에 맞춰 추는 탱고인지
구분할 수 없다

그대의 구애는 내가 구분할테니

그대만은 흔들리지 않았으면

여름에서 무덤까지

벗꽃이 피던 너의 귀에는
항상 여름이 머무르길 바라며
벗꽃이 저물던 나의 말에는
항상 설렘이 피어있길 바라며
벗꽃이 피고 지는 계절이 여름이길 바랐다

수시로 화장을 고치던 너의 목적에
내가 없음을 느낄 때 정은 피어나고
수시로 입술을 발색시키던 나의 목적에
너가 없어야함을 느낄 때 정을 저물었다

여름에서 무덤까지
하염없는 겨울을 기다리기에는 너무 지쳤다
여름에서 무덤까지
어쩌면 놓아주어 너의 정착을 방해하는 것이
해줄 수 있는 유일한 배려다

차라리 행복을 바라던 나는

차라리 진심이길 바라던 나다

시나브로

알지도 못하는 점층적 하강은
서서히 기분을 진흙 속으로 보내는 듯하다
느끼지도 못하는 점층적 떨림은
서서히 엄지를 휘청이게 하는 듯하다
그렇게 티를 내는 척력은
눈치 없이 밀려오는 듯하다
언젠가 한 번쯤은 사색할 운명이기에
눈치 없음은 너의 작은 숲인 듯하다

설마 느꼈던 다이진처럼
너가 느꼈을 서서히는
아무도 알아채지 못할
바람의 흐림이다

아까 부럽다고 하신 게 나이가 어려서 그런 건가?

너의 단호한 긍정에 나의 진심이 담긴 생각은 입에서
나오지 못했어
그냥 말해볼걸
너와 커플로 보였기에 잠시나마 행복했다고,
그때 나온 도파민이 멈추지 않아 도파민 중독이 된다고
해도 시발점이 너라면 상관없다고 말이야
내가 만약 죽어 다시 태어난다면 향수로 태어나고 싶다
그 사람의 이름, 얼굴 기억하지 못한다 해도
향기만큼은 깊은 뇌리에 각인시킬 수 있다고 믿는다
나는 그대의 잔향이 되고 싶다. 하염없이 아른거리는...

가격을 좀 깍아주실 수 있나요

잔액 부족입니다
어서 충전을 하셔야겠는데요

아... 어쩌죠
편의점이 너무 멀리있어서
지금 비도 오고 바람도 불고
제가 직접 가기에는 부담스럽네요

아... 어쩌죠
그럼 내려주세요
다른 승객분들도 기다리시고
잔액이 충전되기까지 기다리기에는 부담스럽네요

환승입니다

아... 혹시나
다음 환승을 기약하고
그냥 태워주시면

... 혹시나
가격을 좀 깍아주시면

희미해지면

나의 눈동자가 희미해지면
나의 마음이 희미해지면

그대는 나의 곁을
바람처럼 떠나갑니다

그대 생각이 희미해지면
그대 마음이 희미해지면

그대는 나의 곁을
바람처럼 찾아옵니다

나와 그대
희미해지면
서로
잊혀져 갑니다

기적의 11월

하루는 자고 있는 너의 미소를 보며
언젠가 돌아올 11월을 그려봤어
겨울의 장단에 맞춰도 애매한 날에
좋은지 싫은지도 애매한 습격에
앞에 있는 이정표는 항상 애매했어

조금만 버티면 그토록 바라던 11월이라서
기적은 누군가는 마주할 수 있어서
하지만 나를 찾지 못할 기적이어서
못 참고 했어

무응답을 받아볼 준비는 되었지만
밤새 외롭게 자리를 지킨 1은
내 시선을 떠나지 못했어

내가 뭘 그렇게 잘못했어?
내가 도대체 얼마나 싫은거야?
단지 기적을 바란 것 뿐이야

망설임

수많은 설레임 중에
저 작은 망설임 때문에
녹지 않고 꽝꽝 얼어버린 설레임
네 입술조차 달굴 수 없구나

번진 틴트 사이로 숨 쉬는
창백함도 망설임이겠지
꽝꽝 얼리다보면
센치한 창백함이 될까
센치한 망설임이 될까

내년

내년에 만나길 바라는 마음을
아니
조금은 달라져 있겠다는 확신을
아니
지금과는 다른 감정이겠다는 소망을
아니
어쩌면 나를 잊었겠구나 하는 슬픔을
아니
어쩌면 나만 기억하는 추억일까봐
어쩌면 너는 가치없는 추억일까봐

내년에 만나길 바라는 마음을 아니
지금과 별 다르지 않을 우리가
내년에 만나길 바라는 마음을

눈이 온다

저 눈들은 나를 처음 보지만
언제 봤다는 듯이
마음의 익숙함을 설레게 한다
없던 첫사랑도 보고 싶게 하는 마법은
그들의 특권이다

그녀는 후레지아

꽃들이 마음을 여는 계절
꽃처럼 예쁜 그녀에게
꽃을 선물했다

그녀의 미소에는
후레지아 향기가
내 마음에는
그녀의 미소가

오늘 생각하며
오늘 밤 생각하며
오늘 밤 자기 전
그녀를 생각하며

내 마음의 노을이
수평선을 넘어
저물어 간다

제4부

겨울, 봄여름가을겨울

≒ 봄여름가을겨울

버스가 멈춰서 눈이 쌓였다

기사님
왜 멈추시나요

아, 곧 눈이 쌓일 겁니다

네? 아직 눈도 내리지 않는 밤에
눈이 쌓인 다니요

저 달이 물러가 해가 달려오듯
우리가 멈춰야 눈도 쌓여야겠구나 하겠지요

기다려보세요
쌓일 자리를 보며 쌓이고
내린 눈, 쌓일 머리
누구 머리인지 고심하며 내릴테니

자, 출발합니다
한 정거장만 더 가서 멈춰봅시다

멸망

멸망이 온답니다
행복하죠
그대 손 따다 심어요
내 손으로 심어줄게요

지구가 멸망을 했다
너의 손은 싹을 틔워
열매를 맺고 시들기도 하며
멸망하겠지

운명을 거스르려는 자는 세월에 치여 죽고
운명을 기다리는 자는 현실에 찢겨 죽지
기회를 잡는 자는 너에게 들켜 죽고
멸망은 다가오지

우리의 세드 엔딩은
타인의 헤피 엔딩을 낳고
점점 몰락하네

초록 바람, 맑은 눈물

초록 바람길 따라 건너오는
싱그러움은 내 눈가를 적시고
맑은 눈물 따라 흐르는
너그러움은 내 발등을 적시고
젖은 발에게 미끄러짐을 청해보지만
질색하며 거절을 거듭한다

그래
알겠다고
모르지 않는다고
모르고 싶었다고

이화월백(梨花鈅白)

너도 저물고
나도 저무는
익어 무른 밤
눈물 한잔에 담아
하사...허사...

야릇한 볕

뜨거워 살이 타들어 간다
눈이 부셔 멀어져 간다
볼 수 없고 느낄 수 없다
상상하다 방심한다
방심하다 안정한다

야릇한 볕에 취해
죽어간다
썩어 문드러져
아픈지도 모르게

차갑거나 따스하거나

한 여름 날
푸르른 하늘에서
새 하얀 눈이 내린다

닿을듯 말듯
느낄듯 말듯

왔구나
갔구나

다음 만남은
내가 그대에게
가리라

차갑고도 따스한 눈이여
안녕

별보다 빛나게

어느날
문득
나를 바라보고 있는
별을
손으로 막았다

손 너머로 사라져 가는
별을 보았지만
손 너머로 빛나는 별은
보지 못했다

빛나는 별은 언제 보일까
사라지는 별은 언제 사라질까

내가 별보다 빛나면
그때
내가 별보다 환하면
그때

너와 나

별보다 빛나게

맑은 밤, 여름 밤

모두 비추는 별빛 보지 못하네
휘어진 고개 들지 못해
울부짖음의 하중 더해가네
별을 읽어 내려가되
울부짖지 말자
하염없이 바라보되
깜빡이지 말자
위로하지 못해도 동정은 참자
머무르고 남아도 잠은 들자

맑은 밤에 꾼 꿈
여름 밤만 같기를

진흙 벚꽃

그렇지 않아도 짧은 벚꽃의 찬란함
비는 그 사실을 모르는 듯하다
비의 역량은
흙은 진흙으로
벚꽃을 지게 한다
걸음마다 진흙과 함께 떨어지는 벚꽃은
아름다움에 가까울까
초라함에 가까울까

먼지

먼지를 휘날리며
가을을 휘날리며

추락을 앞둔
비행기처럼
엔진을 고장 낼
새처럼

안개 속 미아

자욱한 안개 속에서
길 잃은
미아가 되었다

눈 가린다며
휘젓던 안개
어느날
내 몸을 감싼다

안개처럼 증발해버린
나를 본 순간
나는
이제
길 잃은 미아가
아니었다

겨울 눈

어김없이
홀로 오는

순수하게 생겨
밟기도 미안한

순백의 미여
고개를 들어보리라

겨울 비

너의 따스한 냉기
들이마시다 파열된
장기 조각들

피를 토할 수 없게
입은 묶여있고
심장 박동 안 들리게
가슴을 조이는데

조여 남은 자국도 좋아
허탈한 미소로
지새우는 겨울 비

동매화

언제까지나 인내하라던
너도, 하얗게 옻칠하면 어떡하니
참 고귀하기 짝이없구나

언제까지나 맑을거라 소리치던
너도, 말 못한 채 얼어버리면 어떡하니
참 결백하기 짝이없구나

언제까지나 흔들리지 않을 거라 다짐하던
나도, 하얗게 질려버린 동매화처럼 서버리면 어떡하지
참 절망적이겠다
참으로...

성탄의 집

너랑 그 앞에 그분도
한 마디 한 마디 담겨있는 최면에 걸려
꾸벅꾸벅 정신 선을 이어나간다
얼마나 두꺼운 선이길래
간당간당 버티며 선을 이어나가나
누군가에게는 오른쪽에
누군가에게는 대각선에 머무른 나는
대상을 잃은 후원자마냥
사랑을 쌓아둔다

너, 아닌
너의 주변, 아닌
너가 살아가는 세상이 대상이라면
사랑은 금방 축날 것이다

어서, 빨리, 섣부르게 비워야
사랑 남은 후원자 나를 찾는다

제5부

정신까지
얼리고 싶은 것 같다

심심해

심심합니다
할게 하나 없는 이 세상에서 산다는게
죄송합니다
할 수 있는게 하나 없어
세상살이가 이렇게 힘들었나

어쩌다보니
이번 생인데
아득바득 살지말고
즐기며 살자

사흘째 황혼

저 따위 하나 보러
떠나온 게 아닌데
저 따위 하나 죽이러
떠나온 게 아닌데

내 사랑, 내 격정
떠밀다 못해 내던질까, 왜
눈치없는, 눈물
올려다보니 흐를까, 왜

우리 어서 죽어버리자
더 황홀하게
우리 어서 사라져버리자
더 행복해지게

노을이 우리를 죽이러 온다

점층적으로 물들어가는 노을은
서서히 심장 박동을 늦추고
일시적으로 물들어진 노을은
서서히 피를 굳히고

지속적이고 싶었던 노을과
향정신성 약을 많이 처먹었는지
일출과 일몰의 구분도 흐려진다
일렁이는 노을에 휩쓸린다면
수평선을 넘어 태양의 온도를 감히 상상하고
출렁이는 노을에 휩쓸린다면
잠겨 죽어 노을의 깊이를 감히 가늠하고

이제 얼마 남지 않았다
노을이 우리를 죽이러 온다

역성혁명

손톱 끝이라도 스치려면
할퀴어야 할까
손 끝이라도 스치려면
때려야 할까
그리고나서 흐르는 눈물
받아 먹을 수 있을까

살인 충동

사람이라는 카르텔 안에서 살아간다는 것
이성의 존재를 자각하고 있다는 것
사람의 카르텔을 벗어나서 벌어지는 살인
난 허용할 것
만약 벗어나는 상상을 한다면,
누군가는 집을 뛰쳐나올 것이고,
누군가는 차마 살인하지 못해 칼날을 스스로를 향해 겨
눌 것

너는 나의 동맥이야...
무너지고 끊어지면 안 돼
과다출혈로 내가 죽을 수도 있거든

핏자국

나를 그어 베어 피를 해방시킬 때
무심하게 감싸는 그 온기는 모릅니다
나를 온기에 조심히 안도시킬 때
제 자신 못가누는 처지는 아실까요

지우지 못한 핏자국이야 갈 길 가지만
지울 수 없는 기억들은 갈피를 잃어
방랑을 기다립니다

백야

짓밟아도 피어나고
짓눌러도 피어나고
퇴색해도 피어나고
바래도 피어나는

귀속을 바라본 애착
해방을 부르짖는 집착

작위적 구속

스스로 구속하다 지쳐
희망은 놓고 불행을 받아들일 때

눈물이 말라 표정을 굳히고
사랑은 말라 증오를 낳는데

서서히 눈을 감으며
참회 대신 합리화를 바라보면

고요한 기쁨은
나를 감싼다

기도문

나 너무 아파
도와주지 않아도 돼
들어주기만 해

날 안아줘
너의 온기를 느끼고 싶어
너의 품에 파묻혀 사무치고 싶어

죽고 싶어
하지만 널 본다면
죽음의 용기가 사라질 것 같아

나는 기도해 늘 아팠으니까
너를 믿어야 조금 덜 아플까

그냥 내 옆에 있어줘
그래도 난 이기적인걸

일기장

21세기.흐리던.어느날,

오늘 인간의 유일한 흠을 발견했다.

감정을 가지고 있다는 것이다. 모든 생물에게 감정은
있지만 일관성 없는 인간에게 있는 감정이란 하나의
흠에 불과하다.

심장은 두근거렸다. 손은 나에게 들키지 않으려고
노력을 하며 심장 소리에 맞춰 떨고 있음을. 나는
느꼈다. 하지만 늦었다. 내 감정은 이미 손짓 한 번에
일관성을 잃었으니까. 손짓에 애(愛)가 담겨있을지
피(避)가 담겨있을지는 모르지만. 그 감정을 부정하는
감정을 가지기 위해서는 감정에 기대어 감정의 위로를
받아야 하는 현실에 놓인 나였다. 그렇기에 매번
다짐했던 결심이 무너지기 쉬웠다. 마치 밀려오는 파도
앞에 놓인 모래성처럼

유서

미련은 없다
단지 볼 수 없다는
경미한 외로움일 뿐
발끝이 서늘하지만
조금의 설레임에
마음은 안도에 취한다
사람은 가고 가을밤 공기가 감싼다
참회 따위 하지 않으련다
번뇌의 삶에게 고해 따위 필요없구나

깔끔하고 부드럽게
잔인하고 자비로운 칠흑에게
내어준다, 희망

에펠 탑에서 죽기 위한 다섯 가지 이유

일단 눈이 옵니다
꼭 뉴욕에 내리는 눈처럼
그리고 야경이 좋습니다
고민입니다, 아침일지 저녁일지
그리고 바게트가 맛있습니다
마카롱을 더 좋아하지만
그리고 꼭대기에 올라갑니다
추락을 위해서는 올라가야지
마지막으로 보입니다
낙하하면 그대를
올라가면 그대를
만날 것 같습니다

에펠 탑에서 죽기 위한 다섯 가지 방법

일단 전화합니다
이름이 아닌 숫자가 보이겠지만
그리고 바라봅니다
다리 꼬고 턱을 괴겠지만
그리고 말을 겁니다
억지 미소 뒤에 욕을 갈겠지만
그리고 까여줍니다
무료한 삶의 대화 주제가 뒷담이라면 기꺼이
마지막으로 잃겠습니다
추억조차 소각장에 태워 잃겠습니다

바람이란

바람은 지나가려고 부는 걸까
바람은 돌아오려고 부는 걸까
바람은 지나가려고 부는 것이다
바람은 돌아오지 않기를 바라며
지나가기를 바라는 것이다
나에게 바람이란
마당에 쌓인 낙엽 한 줌 미움 한 줌 쓸어가주고
넘어질뻔한 너의 모습에 피식한 웃음을 가려주는
3초 구원자일까

괜찮아, 바람같은 거야
아니 괜찮아, 바람같을 거야

나름의 한계

나름에 적응되면 일상이 되고
일상에 적응되면 특별함이 되고
특별함이 적응되면 필연같은 보석이 될거야

델피니움

[　　]에게

겨울이 왔어. 맞췄던 걸음걸이가 습관이 되었어. 방을 치우다 너가 그린 꽃 한송이 찾았어. 무슨 꽃이냐 물으니 모른다고 말했던 너였어. 누가 알려준 꽃이 참 너와 닮았어. 꽃말도 참 너와 닮았어. 꽃을 검색했어. 파란색, 자주색 화사했어. 너가 그린 꽃은 무채색이라 꽃말도 무채색이겠거니 했어. 꽃말은 질문이었어. 답을 못 찾겠어. 겨울 비 맞을 게. 눈물 흘릴 게. 우리 설탕으로 만들어진 거 아니잖아.

(　　　　　　) (　　)가

서평

김태경

<사라지는 별은 언제 사라질까>의 시인 이시우는 질풍노도의 치열함을 집요한 기억의 반추 속에서 아름답게 연마한다. 마치 모난 돌을 품어 아름다운 진주로 만들어내는 진주조개의 집념처럼. 때론 아름답고 감동적이며, 때론 공허하고 슬프기도하고, 때론 부조리한 세상을 이야기하면서 삶의 길을 찾는 메시지를 담고 있다. 그래서 <사라지는 별은 언제 사라질까>는 시인 이시우 자신의 이야기이며, 동시에 우리들의 이야기다.